© Peralt Montagut
D.L. B-35077-98
Impreso en C.E.E.

El Gato

con Botas

Ilustrado por Graham Percy

É rase una vez un molinero que, justo
antes de morir, legó el molino a su hijo
mayor. A su segundo hijo, le dio el
caballo y al más joven, su gato blanco y negro.

El joven murmuró «¡Qué desgracia la mía, tener como herencia sólo un gato!... Sólo podré comérmelo y hacerme un manguito con su piel... Después de eso, sólo me quedará morirme de hambre.»

Al oír estas palabras, el gato replicó: —«No os preocupéis mi buen amo, dadme un saco y un par de botas y veréis como vuestra situación no es tan desesperada.»

El joven sabía que el gato era muy listo. Una vez,
por ejemplo, lo había visto quedarse colgado por los
talones o hacerse el muerto para atrapar mejor los
ratones de la granja.

Decidió darle al gato lo que le pedía, un saco y un par de botas. El gato se calzó las botas. Eran mágicas. Eran las botas de siete leguas. Desapareció como un relámpago y volvió al instante con un pequeño conejo. Lo puso en el saco y le dijo al joven:

—«Quedaos aquí mientras yo voy al castillo.»

En el castillo pidió ser recibido por el rey. Una vez
en su presencia, hizo una profunda reverencia y
dijo:

—«Majestad, os he traído este conejo de monte. Es
un presente de parte de mi señor, el marqués de
Carabás.»

Este es el título que al gato con botas se le ocurrió
dar a su dueño.

—«Decidle a vuestro señor», respondió el rey, «que agradezco su regalo y lo acepto con verdadero placer.»

Una semana más tarde, el gato con botas se
escondió en unos campos de trigo y al abrir su saco
cuanto éste daba de sí, atrapó dos gruesas perdices.
Como en la otra ocasión las llevó al rey y éste las
recibió con gran placer. La reina ordenó que las
llevaran a la cocina y que las prepararan para la
cena real.

Y así, durante dos o tres meses, el gato con botas siguió llevando la caza al rey. El rey estaba tan contento que ordenaba a sus servidores que entregaran dinero al gato para que éste comprara vino para su señor, el marqués de Carabás.

Un buen día, el gato con botas se enteró de que el rey había prometido a su preciosa hija, llevarla de paseo en su carroza a lo largo del río. Volvió a toda prisa a la casa de su amo gracias a sus botas mágicas y le suplicó que fuera a darse un baño en el río.

Cuando el rey y la princesa pasaron por allí, el gato con botas que estaba en la ribera entre las cañas, empezó a gritar: —«¡Socorro, Socorro. Mi amo el marqués de Carabás se ahoga!»

Acordándose de toda la buena caza con que el marqués de Carabás le había obsequiado, el rey dio orden a su guardia de lanzarse al agua para salvarlo.

Entretanto, el gato, de pie al lado de la carroza, le contaba al rey que unos ladrones habían robado la ropa de su amo.

De inmediato, hicieron traer lujosos vestidos y cuando el joven se los hubo puesto, a la princesa le pareció muy hermoso.

El rey le invitó a subir a la carroza y juntos viajaron a través del campo.

Habiéndoles adelantado, el gato con botas se había
juramentado con todos los campesinos que
encontraba, para que dijeran al rey cuando les
interrogara que los campos que segaban pertenecían
al marqués de Carabás.

Y así, cuando llegaba la carroza real y el rey se asomaba al postigo para preguntar: —«¿A quién pertenecen estos preciosos campos de trigo?»

Los segadores haciéndole reverencias respondían: —«A nuestro buen señor, el marqués de Carabás.» Lo cual impresionaba enormemente al rey y a la princesa.

Mientras, el gato con botas había llegado al espléndido castillo del verdadero dueño de aquellas tierras que cruzaba la carroza del rey.

Este señor era un hombre cruel y orgulloso, del cual se decía que tenía el poder mágico de transformarse en todo tipo de animales salvajes o en horribles criaturas.

—«¿Es verdad, le preguntó el gato con botas, que podéis convertiros en todo lo que deseáis?, ¿en león o en elefante?»

—«Efectivamente» respondió. Y se transformó en un feroz león.

Aterrorizado, el gato se refugió en un rincón, detrás de una armadura, y desde allí preguntó de nuevo:
—¿Podrías también transformaros en rata o en ratón?»
—«¡Evidentemente!» rugió el hombre. De inmediato cruzó la habitación convertido en una pequeña ratita gris.

El gato saltó...

y... se la tragó.

Después descendió raudo las escaleras, ya que oía el retumbar de la carroza cruzando el patio del castillo.

Y cuando el rey, la princesa y el joven descendieron de la carroza, el gato con botas les esperaba delante del portal. Haciendo una profunda reverencia, declaró con tono solemne:

—«Sed bienvenido, señor, ¡este es el castillo del marqués de Carabás!»

Juntos penetraron en la gran sala y, una vez más, el rey y su hija quedaron muy impresionados por todo lo que vieron.

Entonces el rey, volviéndose hacia el joven le dijo:
—«Señor marqués, es necesario que os caséis con
mi hija y que os convirtáis en mi yerno.»
El marqués aceptó de buen grado este honor y se
casó con la princesa ese mismo día.
El gato se convirtió en un gran señor y nunca,
nunca más, tuvo necesidad de perseguir ratones.